Bereits in der ab 1998 gültigen Rechtschreibung gesetzt
Im Auftrag hergestellte Sonderausgabe
Alle Rechte vorbehalten
Idee und Konzept: Julius P. Breitschopf
Lektorat: Mag. Brigitte Gattermann
Fachliche Beratung: Margrit Mayer-Wölfl
©Copyright 1997 by hpt-Verlagsgesellschaft m. b. H. & Co. KG, Wien
ISBN 3-7004-3675-0

Mein Tag auf dem Bauernhof

Illustrationen von:
Aleksandra Magnuszewska-Oczko
Aleksander Oczko

Erzählt von:
Christine Rettl

Die Sonne geht auf. Der Hahn kräht so laut, dass man es weithin hören kann. „Miau! So ein schöner Morgen!", sagt die kleine Katze vergnügt und streckt sich. „Wo ist denn meine Mama? Mama, bist du hier drin?", ruft sie in den Hühnerstall. „Nein, nicht auf der Stange und nicht auf dem Stroh. Auch nicht im Eierkorb", stellt die kleine Katze enttäuscht fest.

Wie viele Hennen und Küken kann die kleine Katze entdecken?
Welche Tierlaute hört sie im Hühnerstall?

„Ob sie dort hinten ist? Mama?", fragt die kleine Katze und kommt neugierig näher. „Das hier ist unsere Mama", sagen die Welpen. „Komm her und spiel mit uns!" Aber die kleine Katze will lieber ihre Mama finden.

Wie viele Welpen wollen mit der kleinen Katze spielen?
Welche Tierlaute hört sie?

„Bist du hier, Mama?", fragt die kleine Katze und schleicht vorsichtig in den großen Stall, in dem es so stark nach Kühen riecht und nach frischer Milch. Die Mama findet sie hier auch nicht, aber ein feines Frühstück! Hm!

Wie viele Kühe und Kälber kann die kleine Katze sehen?
Welche Tierlaute hört sie im Kuhstall?

„Keine Spur von meiner Mama! Keine Spur von meinen Ge-schwistern", sagt die kleine Katze traurig. „Überall nur Pferdespuren! Was kommt denn da galoppiert? Hilfe! Miau! Ein Glück, dass ich so gut klettern kann!"

Wie viele Pferde sieht die kleine Katze?
Welche Tierlaute hört sie?

Die kleine Katze läuft zum Teich und sieht darin ihr Spiegelbild. „Hallo Kätzchen! Wer bist denn du?", fragt sie aufgeregt. Die Gans neben ihr hebt vom Steg ab und landet auf dem Wasser. Weg ist das andere Kätzchen!

Wie viele Gänse und Enten kann die kleine Katze entdecken?
Welche Tierlaute hört sie am Teich?

„Mama! Wo bist du?", ruft die kleine Katze. „Bei den Schafen ist sie auch nicht. Wie komisch die aussehen! He, ihr! Wo habt ihr denn euren Pelz gelassen?"

Wie viele Schafe sieht die kleine Katze?
Welche Tierlaute hört sie auf der Weide?

Die kleine Katze fragt die Ziegen im Obstgarten: „Habt ihr vielleicht meine Mama gesehen?" - „Sieht sie so aus wie du?", erkundigt sich das Zicklein. „Ja, nur viel größer", sagt die kleine Katze gespannt. „Nein, dann haben wir sie nicht gesehen!", antworten die Ziegen.

Wie viele Ziegen sieht die kleine Katze im Obstgarten?
Welche Tierlaute kann sie hören?

„Ist da nicht ein getigertes Fell? Mama!", ruft die kleine Katze erfreut. Aber im Laufstall laufen, hoppeln und huschen nur Meerschweinchen, Kaninchen und Mäuse herum. „Warum seid ihr denn so aufgeregt?", wundert sich die kleine Katze. „Ich suche doch bloß meine Mama!"

Wie viele Kaninchen, Meerschweinchen und Mäuse kann die kleine Katze im Laufstall entdecken?
Welche Tierlaute kann sie hier hören?

Die Sonne steht schon hoch am Himmel. „Vielleicht weiß die Bäuerin, wo meine Mama ist. Ich gehe ihr ganz einfach nach", sagt die kleine Katze. „Dann werde ich meine Mama schon finden!"

Wie viele Tiere sieht die kleine Katze im Hof?
Welche Tierlaute und Geräusche hört sie hier?

„Du meine Güte! Ist das ein Gequietsche! Wir Katzen essen viel vornehmer! Und wie das hier riecht!" Die kleine Katze wendet sich ab und springt vom Fenster hinaus in den Hof. Ist da nicht ein vertrauter Ton?

Wie viele Schweine kann die kleine Katze beobachten?
Welche Tierlaute hört sie im Schweinestall?

Der vertraute Ton kommt vom Heuboden. Die kleine Katze läuft, so schnell sie laufen kann. „Da bist du ja, du Ausreißer!", sagt die Mama und leckt ihrem Katzenkind liebevoll das Fell.

Wie viele Katzen tummeln sich auf dem Heuboden?
Welche Tierlaute sind hier zu hören?

Langsam geht die Sonne unter. „Wo ich überall gesucht habe!", berich-
tet die kleine Katze. „Zuerst war ich im Hühnerstall, dann war ich ... "
„Erzähl morgen weiter", sagt die Mama. „Morgen ist auch ein Tag!"

Wie viele Tiere sind auf diesem Bild zu sehen?
Welche Tierlaute sind zu hören?